Stéph

Conseil des Arts du Canada
Canada Council for the Arts

SODEC
SOCIÉTÉ DE DÉVELOPPEMENT DES ENTREPRISES CULTURELLES
Québec

Les Éditions de la Paix remercient le Conseil des Arts du Canada et la Sodec de l'aide accordée à son programme de publication et reconnaissent l'aide financière du gouvernement du Canada par l'entremise du Programme d'Aide au Développement de l'Industrie de l'Édition (PADIÉ) pour ses activités d'édition.

Les Éditions de la Paix bénéficient également du Programme de crédit d'impôt pour l'édition de leurs livres – Gestion SODEC – du gouvernement du Québec.

Stéphane Laroche

Illustration
Jean-Guy Bégin

Collection Passeport, nº 73

pour la beauté des mots et des différences

Maison d'édition **Les Éditions de la Paix Inc.**
127, rue Lussier
Saint-Alphonse-de-Granby (Qc) J0E 2A0
Tél. et téléc. : 450-375-4765
info@editpaix.qc.ca
www.editpaix.qc.ca
Rejoignez-nous sur Facebook

Direction littéraire Gilles Côtes

Révision Jacques Archambault
Gilles Côtes

Illustration Jean-Guy Bégin

Infographie JosianneFortier.com

Dépôt légal 1er trimestre 2011
Bibliothèque nationale du Québec
Bibliothèque nationale du Canada

Imprimé au Canada

Catalogage avant publication de Bibliothèque et Archives nationales du Québec et Bibliothèque et Archives Canada

Laroche, Stéphane, 1976-

La casquette de Simon
(Collection Passeport ; no 73)
Pour les jeunes de 9 à 12 ans.
ISBN 978-2-89599-086-4

I. Bégin, Jean-Guy. II. Titre. III. Collection: Collection Passeport (Saint-Alphonse-de-Granby, Québec) ; no 73.

PS8623.A758C37 2011 jC843'.6 C2011-940198-3
PS9623.A758C37 2011

Table des matières

« On ne voit bien qu'avec les yeux du cœur. »

Antoine de Saint-Exupéry

Eau secours !

C'est fou comme il est grand ! Il a l'air d'un géant dans cet étroit corridor bondé d'enfants qui fourmillent en tous sens. Un sympathique géant à la démarche décontractée et à la mine enjouée. Vincent Cadieux ne ressemble vraiment pas à un professeur avec ses longs cheveux ébouriffés et ses vêtements mal agencés. Et pourtant, il est certainement l'un des enseignants les plus appréciés de l'école Sainte-Madeleine. Tous les élèves l'adorent.

Sans doute parce qu'il trouve toujours le moyen de les faire rigoler, en classe comme à la « récré ».

— Bonjour, Monsieur Vincent ! s'exclame une jeune fille qui, entourée de ses copines de classe, prend tout son temps pour ranger son manteau dans son casier.

— Salut, les filles ! Alors, êtes-vous prêtes pour l'examen de cet après-midi ?

Leur visage s'assombrit aussitôt.

— L'examen ? Quel examen ? s'inquiète l'une d'elles.

— Ne me dites pas que vous avez oublié l'examen de maths. C'est un test super important.

— Euh... C'est que...

— C'est que... je vous ai bien eues, hein ? claironne monsieur Vincent d'un air moqueur.

— Ah ! J'aurais dû y penser, réplique la jeune fille, soulagée.

— Tu m'as fichu une de ces trouilles, renchérit une autre.

Plutôt satisfait de sa blague, monsieur Vincent reprend son chemin le sourire aux lèvres.

— Ne traînez pas trop longtemps à vos casiers, les filles, prévient-il tout en s'éloignant. Les cours reprendront dans quelques minutes.

Soudain, un bruit d'enfer suivi d'un cri de détresse le fait sursauter. Ce vacarme infernal semble provenir de sa classe. Inquiet, Vincent Cadieux presse le pas en souhaitant que rien de grave ne soit arrivé. Lorsqu'il franchit le seuil du local, une scène inattendue le frappe de plein fouet : un garçon est étendu de tout son long, au beau milieu d'une immense flaque d'eau parsemée d'éclats de verre. À côté de lui, plusieurs poissons luttent pour leur survie et un crabe, quelque peu ébranlé, hésite sur la direction à prendre. L'aquarium, qui égayait le quotidien des élèves, n'est plus qu'une ruine.

— Simon, rien de cassé ? s'écrie monsieur Vincent en s'élançant à son secours.

L'élève ne réagit pas.

— Simon, réponds-moi. Est-ce que ça va ?

Toujours pas de réponse. À première vue, le garçon ne semble pas blessé. L'enseignant l'aide à se relever et à s'éloigner de cette marre de verre cassé, puis lui demande à nouveau :

— Ça va, Simon ?

— Je... Je pense que oui.

— Tu n'es pas blessé, au moins ?

— Je pense que non.

— Tu m'as fait une de ces peurs. Veux-tu bien me dire ce qui s'est passé ?

Plutôt que de lui répondre, Simon saisit le bas de son chandail et le tord avec délicatesse, puis il fait de même avec son pantalon. Il se penche ensuite pour récupérer sa casquette imbibée d'eau. Il la presse doucement entre ses mains pour en libérer le liquide, en prenant bien soin de ne pas abîmer ce précieux cadeau offert par son grand-père avant de mourir. Son visage est anéanti.

Vincent Cadieux n'a pas raté un seul geste du pauvre Simon. « Comme ce garçon fait pitié ! », se dit-il en lui-même.

— Quelqu'un peut-il me dire ce qui s'est passé ici ? interroge l'enseignant en s'adressant cette fois aux autres élèves de la classe.

Aucun des cinq enfants présents dans le local au moment de l'incident n'ose répondre. Comme s'ils n'avaient rien vu ! Ils se trouvaient pourtant tous debout autour de Simon à l'arrivée de monsieur Vincent.

— Guillaume ?

— Hein ?

— Qu'est-ce qui s'est passé ?

— Aucune idée.

— Roxanne ?

— Je ne sais pas.

— Vous voulez me faire croire que personne ici ne sait ce qui est arrivé à Simon Lejeune ? C'est impossible. Je ne peux pas croire que personne n'ait rien vu.

Un lourd silence s'installe dans le groupe pendant un long moment. Comme aucun des élèves ne se risque à la confidence, l'enseignant déclare :

— OK, tout le monde, vous devrez vous expliquer auprès de la directrice. Elle vous aidera peut-être à retrouver la mémoire. En attendant, j'ai un cours à donner.

— Moi aussi ? demande Louis Côté, incrédule.

— Toi aussi.

— Je ne veux pas aller voir la directrice, Monsieur Vincent. Je n'ai vraiment rien vu, je le jure. J'étais assis à mon pupitre quand c'est arrivé. J'étais en train de lire ma bande dessinée. J'ai juste entendu un grand bruit. Quand je me suis retourné, l'aquarium était cassé et Simon était couché par terre.

— Tu expliqueras ça à la directrice, lance l'enseignant, de plus en plus irrité par l'absurdité de la situation. Moi, je vais appeler le concierge pour qu'il ramasse tout ça.

Sur ces mots, Simon et ses camarades de classe quittent les lieux dans un silence absolu. Pendant ce temps, le reste du groupe envahit peu à peu le local en y allant de commentaires épicés sur la situation qui leur paraît loufoque.

La menace

Assis côte à côte face au bureau de la directrice, Samuel Giroux, Roxanne Gravel, Guillaume Fortin, Louis Côté et Audrey Saint-Amour attendent patiemment l'arrivée de madame Jasmine, la directrice.

Les yeux rivés au sol, Louis continue d'en vouloir à monsieur Vincent pour l'avoir traité de cette façon. « Je n'ai rien à voir dans tout ça, répète-t-il sans cesse dans sa tête, comme s'il cherchait à s'en convaincre. Je n'ai pas d'affaire ici, moi. » Perdu dans ses pensées, il n'a pas conscience de l'attitude complice des deux autres garçons à côté de lui qui semblent bien rigoler. Il faut dire que Samuel et Guillaume en ont vu d'autres. Ils n'en sont pas à leur première visite au bureau de la directrice.

— Hé ! Roxanne, écoute celle-là ! s'exclame Samuel. C'est l'histoire d'un gars qui s'appelait Simon. Un jour, Simon est allé à la pêche aux poissons rouges. Mais les poissons ne voulaient pas se faire attraper. Alors, ils ont tiré si fort sur la ligne que le p'tit Simon est tombé dans l'eau avec sa belle casquette neuve.

— Ce n'est pas drôle, Samuel Giroux, s'offusque-t-elle.

— Ah non ? Pourtant, t'avais l'air de trouver ça pas mal comique, tout à l'heure.

— *Ce n'est pas vrai !* Tu devrais la fermer au lieu de dire des bêtises.

— Ouuuh... Elle est fâchée, la Roxanne.

— Fiche-moi la paix, Samuel. Je n'ai pas le goût de rire.

Ne laissant aucunement paraître son embarras, Samuel dirige son regard moqueur vers l'autre jeune fille et affirme :

— Puis toi, ma belle Audrey, la trouves-tu bonne, ma blague ?

— Euh... Pas vraiment, non, répond-elle d'une voix à peine audible.

— Pas grave, j'en ai une autre pour toi. Je suis sûr que tu vas l'aimer, celle-là. *C'est* l'histoire d'un gars qui s'appelait...

— Giroux, laisse tomber ! l'interrompt Guillaume. Tu n'as jamais réussi à faire rire une mouche. Ce n'est pas aujourd'hui que tu vas réussir à faire sourire une fille qui ne sait même pas comment s'amuser. C'est quand la dernière fois que tu l'as vue s'éclater, celle-là ? Elle n'a pas le temps ; elle a toujours le nez plongé dans ses livres. Tu devrais pourtant le savoir.

Plutôt que de répliquer, Audrey se contente d'encaisser le coup sans dire un mot, tout en essayant de se convaincre que ça ne vaut même pas la peine de lui parler. N'empêche que les paroles de Guillaume l'ont touchée droit au cœur et qu'elle arrive difficilement à contenir ses émotions.

— Tu ne vas quand même pas te mettre à brailler en plus ? renchérit Guillaume sans même se rendre compte de tout le mal qu'il peut faire dès qu'il ouvre la bouche.

Au même moment, Samuel frappe légèrement du coude son copain Guillaume :

— Hé, Fortin, regarde donc qui s'amène !

— Hé ! Hé ! V'là le p'tit Simon ! s'exclame Guillaume. Dis donc, Lejeune, t'es pas mal beau dans ton habit d'éducation physique. Où t'as mis ta calotte, mon homme ?

Puis sans crier gare, Guillaume se lève d'un bond et fonce droit sur lui. Il le saisit à la gorge et l'accule au pied du mur en lui postillonnant au visage :

— Écoute-moi bien, le p'tit Simon Lejeune, mes amis et moi, on n'a rien à voir avec ce qui s'est passé dans la

classe tout à l'heure, t'as compris ? Tu raconteras ce que tu veux à la directrice, mais t'as besoin de ne pas nous mettre dans la merde, OK ? Sinon, tu vas nous le payer cher !

— O... OK.

— Je n'ai pas entendu. Qu'est-ce que t'as dit ?

— OK. J'ai compris. Vous n'avez rien à voir avec ça.

Satisfait, Guillaume lâche son emprise sur sa victime et Simon court se réfugier sur la chaise la plus proche de la porte du bureau de la directrice.

— Ça vaut aussi pour vous deux, ajoute Guillaume sur un ton menaçant, en s'adressant cette fois à Louis et Audrey.

Sur ces mises en garde, il s'en retourne s'asseoir entre Samuel et Roxanne, et personne n'ose ajouter quoi que ce soit jusqu'à l'arrivée de madame Jasmine.

Simon raconte...

— Alors, Simon, qu'est-ce qui t'amène à mon bureau ?

Accoudée à sa table de travail, un stylo entre les doigts, Jasmine Lambert parvient tant bien que mal à dissimuler son impatience derrière son regard sévère. À moins d'un mois de la fin des classes, elle a bien d'autres choses à faire que de jouer à la police. Qu'est-ce que ces cinq élèves de sixième année ont bien pu manigancer pour se retrouver devant elle ? Plutôt que de s'attaquer comme prévu à la pile de dossiers qui l'attend sur le coin de son bureau, elle devra prendre le temps d'éclaircir les circonstances entourant ce mystérieux événement qui vient de se produire dans la classe de monsieur Vincent. Elle n'a toutefois pas l'intention d'y passer tout l'après-midi. « Cette histoire sera vite réglée », présume cette directrice d'expérience reconnue comme une figure d'autorité et de discipline. Elle est cependant bien loin de se douter de ce qui l'attend.

— Simon, je t'ai posé une question.

— C'est monsieur Vincent qui m'a envoyé ici, répond le garçon, assis le dos courbé, sur le bord de la chaise.

— Pourquoi au juste monsieur Vincent t'a-t-il envoyé ici ?

— Parce que... je suis tombé dans l'aquarium.

— Tombé dans l'aquarium ! s'exclame la directrice, incrédule. Mon Dieu, tu ne t'es pas fait mal, au moins ?

— Non.

— Comment c'est arrivé ?

Simon demeure muet un long moment, le temps de chercher quoi répondre pour éviter d'autres ennuis avec Guillaume, puis il déclare d'une voix mal assurée :

— En entrant dans la classe, j'ai vu l'affiche qui était en train de se décrocher sur le mur du fond.

— Et alors ?

POISSON

— Je suis monté sur le comptoir pour essayer de la recoller.

Simon s'interrompt pour tenter de lire dans les yeux de la directrice si elle adhère ou non à son histoire.

— Et ensuite ? s'impatiente la directrice.

— J'ai perdu l'équilibre et... je suis tombé.

— Dans l'aquarium ?

— Oui.

— C'est tout ?

— Oui.

Si elle espérait régler cette histoire rapidement, Jasmine Lambert ne s'attendait toutefois pas à ce que la tâche soit si facile. Elle replace de la main ses dossiers urgents et se surprend à penser qu'au bout du compte, cette histoire d'aquarium n'aura pas trop affecté sa planification de travail.

Une pensée envahit soudain son esprit :

— Tes copains de classe qui attendent dans le corridor ont-ils quelque chose à voir avec tout ça ?

Oui, ils ont tout à y voir. Et Simon voudrait pouvoir le dire à la directrice. Il voudrait tant qu'elle puisse faire quelque chose pour qu'ils arrêtent de l'embêter. Il voudrait tellement avoir la paix une bonne fois pour toutes. Mais il ne lui en dit rien. Tout avouer serait bien trop risqué, croit-il. Guillaume le lui ferait payer un jour ou l'autre. C'est pourquoi il préfère garder le silence. N'empêche qu'il en a assez. Assez d'être le souffre-douleur d'une bande de voyous qui se croient tout permis. Assez qu'on s'en prenne toujours à lui sans aucune raison. Il voudrait seulement qu'on le laisse tranquille. Est-ce trop demander ?

— Réponds-moi, Simon. Est-ce que tes camarades de classe ont quelque chose à voir avec ce qui t'est arrivé ce midi ?

— Non, marmonne-t-il, les yeux rivés au sol.

— Tu n'as pas l'air convaincu.

— ...

— Regarde-moi, Simon, quand je te parle.

Simon lève des yeux humides vers madame Jasmine, qui constate aussitôt que le garçon est très affecté.

— Mon Dieu, Simon, qu'est-ce que tu as ?

— Rien.

— Mais regarde dans quel état tu es. Il y a forcément quelque chose qui ne va pas.

— Non. Il n'y a rien.

Jasmine Lambert voudrait bien croire Simon, mais le regard triste du garçon l'en empêche. « Qu'est-ce qui peut bien le rendre si malheureux ? Il doit sûrement y avoir une raison. »

— Promets-moi que les autres élèves n'ont rien à voir avec tout ça, dit-elle.

Simon prend quelques secondes pour peser le pour et le contre de la réponse qu'il s'apprête à lui donner, puis déclare :

— Promis.

— Bon, puisque tu le dis... Allez, essuie tes yeux et retourne en classe.

Simon abandonne sa chaise et quitte le bureau de la directrice d'une démarche mal assurée. En le regardant s'en aller, madame Jasmine éprouve tout à coup un étrange malaise. « Quelque chose se cache derrière toute cette histoire », songe-t-elle. Résolue à découvrir la vérité, elle s'empare de la pile de dossiers et la dépose sur le classeur derrière elle. L'affaire Simon Lejeune risque finalement d'être plus longue à régler qu'elle ne l'avait cru au départ.

Louis raconte...

— Entre, Louis. Et assieds-toi.

— Est-ce que ça va être long ?

— Je ne sais pas. Ça va dépendre de toi.

— Je n'ai rien fait. Je le jure que je n'ai rien fait.

Tremblant de nervosité, Louis Côté s'assoit sur la chaise que vient de lui désigner la directrice de l'école. C'est la première fois qu'on l'envoie au bureau de madame Jasmine et il s'en serait bien passé.

Il ne souhaite à présent qu'une chose : quitter au plus vite ce lieu qui lui donne la trouille.

— As-tu vu ce qui s'est passé ?

— Non, Madame Jasmine.

— Tu étais pourtant en classe quand c'est arrivé, n'est-ce pas ?

Quelque chose dans la voix de la directrice laisse croire au garçon qu'elle le considère comme un suspect dans cette affaire. Sa tension monte d'un cran.

— Je n'ai rien vu du tout, Madame Jasmine. Promis. J'étais assis à mon pupitre et je lisais ma bande dessinée.

Connaissant Louis comme étant non seulement un élève modèle, mais également l'un des plus grands amateurs de bandes dessinées de l'école, Jasmine Lambert accepte de croire le garçon.

— Si tu n'as rien vu, tu as sûrement entendu quelque chose, non ?

— Ça, oui, par exemple. C'était un bruit énorme. J'ai fait tout un saut !

— Qu'est-ce qui a provoqué ce bruit ?

— C'est l'aquarium qui s'est cassé. Je ne sais pas trop comment c'est arrivé, mais quand je me suis retourné pour voir ce qui se passait, j'ai vu Simon étendu par terre dans une grande flaque d'eau. Il y avait plein d'éclats de verre partout. C'était affreux !

— Qu'est-ce que tu as fait, à ce moment-là ?

— Je me suis approché pour voir si Simon était blessé. Au début, j'étais sûr qu'il s'était fait mal parce qu'il ne bougeait pas. Mais après, monsieur Vincent est arrivé et l'a aidé à se relever.

— Et ensuite ?

— C'est tout. Je ne sais rien de plus.

Jasmine Lambert suspend son interrogatoire un moment, le temps de réfléchir aux propos du garçon. « Décidément, ce n'est pas lui qui va m'aider à en savoir plus sur cette affaire », soupire-t-elle. En même temps, elle ne peut se résoudre à le laisser partir sans avoir découvert un élément nouveau sur cette histoire.

— Tu n'as vraiment aucune idée de ce qui a pu arriver à Simon ?

— Aucune.

— Serait-il possible qu'il ait grimpé sur le comptoir pour recoller une affiche et qu'il ait ensuite perdu l'équilibre ?

— Peut-être, mais ça m'étonnerait.

Cette réponse pourtant vague suffit à piquer la curiosité de la directrice.

— Qu'est-ce qui te fait dire ça ? demande-t-elle.

— Je sais que les autres n'arrêtaient pas de le « niaiser ». Je ne sais pas au juste ce qu'ils lui faisaient, mais j'avais du mal à rester concentré dans ma lecture tellement ils parlaient fort et couraient partout.

« Je me doutais bien que ce n'était pas un accident », pense Jasmine Lambert en soupirant.

— Quand tu parles des autres, tu parles de qui au juste ? questionne-t-elle.

Cette fois, Louis se permet un long moment de réflexion avant de répondre. Soudainement hanté par la mise en garde de Guillaume, il se rend compte qu'il a peut-être trop parlé. Pris de panique, il ne sait plus quoi dire pour se sortir de l'impasse. Le regard sévère et insistant de la directrice l'oblige finalement à bredouiller :

— Je parle des autres, là, dans le corridor. Sauf que je ne sais pas ce qu'ils lui ont fait.

« Au moins, je n'ai donné aucun nom », ajoute-t-il en lui-même, pour tenter de se convaincre qu'il n'a trahi personne avec sa déclaration.

Plus ou moins satisfaite de la réponse qu'elle aurait souhaitée plus précise, mais convaincue que Louis lui a confié tout ce qu'il savait, Jasmine Lambert conclut :

— Merci, Louis. Tu peux retourner en classe, maintenant.

Soulagé de pouvoir enfin quitter le bureau de la directrice, Louis bondit de sa chaise avec empressement. Mais avant de sortir, il demande d'une voix préoccupée :

— Dis, Madame Jasmine, est-ce que mes parents sont obligés de savoir que je suis venu à ton bureau ? Parce que s'ils apprennent ça, c'est sûr que je peux dire adieu à mes patins à roues alignées pour au moins une semaine.

— On verra ça quand je saurai ce qui est vraiment arrivé.

Audrey raconte...

Audrey Saint-Amour se présente dans le bureau de la directrice avec la ferme intention de ne rien révéler de tout ce qu'elle a pu voir ou entendre à son retour en classe après le dîner. Elle a pourtant toujours été très honnête, mais cette fois, c'est différent. Elle est obligée de mentir. Elle n'a pas le choix. Elle entend encore Guillaume la menacer du pire si jamais elle raconte la vérité. Sa voix résonne dans sa tête tel un grondement de tonnerre. La rudesse de sa voix et la rage de ses yeux la font trembler de peur. C'est décidé, il n'est pas question d'avouer quoi que ce soit. Pas aujourd'hui, en tout cas. Peut-être quand la poussière sera retombée.

— Bonjour, Madame Jasmine, dit la jeune fille sur un ton délicat qui trahit à peine sa nervosité. Comment allez-vous aujourd'hui ?

— Disons que ça pourrait aller mieux, répond franchement la directrice. Tu n'es pas sans savoir qu'il s'est passé tout à l'heure quelque chose de grave qui a rendu un de tes camarades de classe malheureux. Alors j'ai bien l'intention de découvrir ce qui est arrivé à Simon. Et crois-moi, les coupables vont avoir affaire à moi. Je ne tolérerai pas qu'une bande de... voyous... s'en prennent à un de mes élèves.

Le visage souriant de la jeune fille s'assombrit aussitôt. Elle ravale sa salive devant les propos décidés de la directrice. Jamais Audrey ne l'a vue dans un tel état. Sans trop savoir comment réagir, elle s'enfonce dans sa chaise et attend avec inquiétude la suite des choses.

— Veux-tu bien me dire, Audrey, ce qui est arrivé à Simon ?

— Il ne vous l'a pas dit ?

— Il m'a raconté qu'il avait perdu l'équilibre, mais tu sais comme moi qu'il n'est pas tombé par accident dans l'aquarium, n'est-ce pas, Audrey ?

— Euh...

— Je compte sur toi pour me dire la vérité. Et par pitié, ne me raconte pas que tu n'as rien vu. Je sais que tu es impliquée dans cette histoire, s'exclame Jasmine Lambert, faisant ainsi allusion à la révélation de Louis Côté.

Prise de panique devant une telle accusation, Audrey ne peut s'empêcher de répliquer :

— Ce n'est pas vrai, Madame Jasmine. Je n'ai rien fait, moi. C'est eux. C'est à cause d'eux, tout ça.

Audrey n'arrive pas à croire que la directrice puisse l'accuser de la sorte, elle qui n'a jamais levé le petit doigt contre quiconque, qui s'est toujours faite discrète pour déranger le moins possible.

— Qui ça, eux ? s'impatiente la directrice.

— Je... Je ne peux pas le dire.

— Et pourquoi donc ?

— Parce que... je ne veux pas d'ennuis.

— OK... Je commence à comprendre, murmure Jasmine Lambert entre ses lèvres serrées. C'est pour ça que personne ne veut me dire ce qui s'est passé.

Elle pousse un long soupir de découragement, puis ajoute :

— Tu n'as rien à craindre, Audrey. Je te promets que personne ne saura rien de notre discussion.

Mais Audrey n'en est pas tout à fait convaincue. Elle continue à croire que Guillaume et ses complices finiront par découvrir qui les a dénoncés.

— Mets-toi à la place de Simon, Audrey, renchérit la directrice. Tu ne penses pas que ceux qui lui ont fait ça méritent d'être punis ? Pourras-tu seulement dormir tranquille si tu ne fais rien pour que justice soit rendue ?

Cette question plonge Audrey dans une longue réflexion. L'image du pauvre Simon étendu par terre au milieu des débris de l'aquarium finit par la convaincre de collaborer avec la directrice. Sans plus hésiter, elle se laisse aller aux confidences :

— C'est à cause de Samuel Giroux et de Guillaume Fortin.

« J'aurais dû m'en douter », se dit la directrice.

— Qu'est-ce qu'ils ont fait ?, enchaîne-t-elle à voix haute.

— Quand je suis entrée dans la classe, ils tenaient Simon dans les airs, au-dessus de l'aquarium. Au début, je pensais que c'était pour rire, mais j'ai vite compris que ce n'était pas une blague. En tout cas, Simon ne riait pas du tout. Il criait, il se débattait, il pleurait... C'était terrible !

Jasmine Lambert n'arrive pas à croire ce qu'elle vient d'entendre. Comment des garçons de sixième année peuvent-ils se montrer aussi méchants ?

— Veux-tu bien me dire pourquoi ils lui ont fait ça ?

— Je ne sais pas. En tout cas, je n'aurais pas voulu être à sa place. Il se débattait tellement... Pauvre lui. J'ai eu si peur quand il est tombé par terre et que l'aquarium s'est cassé en mille morceaux. Il faisait vraiment pitié.

La directrice sent la colère monter en elle à mesure que la jeune fille lui relate les faits. « Ils n'ont pas fini avec moi, ces deux-là », rage-t-elle intérieurement.

— Merci, Audrey ! ajoute-t-elle sur un ton explosif.

Samuel raconte...

Cinq minutes se sont écoulées depuis l'arrivée de Samuel Giroux dans le bureau de Jasmine Lambert, sans qu'aucune conversation ne soit engagée. Samuel a bien tenté d'amorcer la discussion, mais madame Jasmine lui a rapidement cloué le bec. Depuis, elle ne cesse de le fusiller du regard tout en cherchant une punition digne du geste méprisable commis à l'endroit de Simon Lejeune. Pendant ce temps, le garçon plutôt frondeur promène son regard curieux aux quatre coins de la pièce tout en chantonnant pour passer le temps.

— Comment fais-tu ?

— Pour...

— Pour être d'aussi bonne humeur après avoir commis une agression sur ton camarade de classe ?

— Je n'en sais rien. Peut-être parce que ce n'était pas vraiment une agression.

Devant une attitude aussi arrogante, Jasmine Lambert n'éprouve qu'une seule envie : lui hurler aux oreilles de quitter l'école Sainte-Madeleine sur-le-champ et de ne plus jamais y mettre les pieds. Mais elle n'en fait rien. Elle doit plutôt se calmer et essayer de comprendre pourquoi Guillaume et lui ont agi de la sorte.

— Tu vas me dire que Simon est tombé tout seul dans l'aquarium, je suppose ?

— Disons qu'il ne s'est pas aidé. S'il n'avait pas bougé autant, il aurait évité un paquet de troubles.

— Finalement, c'est de sa faute ? C'est bien ce que tu me dis ?

Samuel prend le temps de bien étudier la question de la directrice avant de répondre :

— C'est une façon de voir les choses.

— Voyons donc, Samuel ! Simon ne s'est quand même pas lancé tout seul dans l'aquarium, affirme Jasmine Lambert dans un souffle d'exaspération. Je veux savoir ce qui vous a pris, Guillaume et toi, de le soulever au-dessus de l'aquarium.

— On s'amusait, c'est tout.

— Tu parles d'une façon de s'amuser ! Explique-moi, s'il te plaît. J'ai besoin de comprendre comment vous pouvez trouver du plaisir à faire pleurer un autre élève.

— Bah ! C'est juste un bébé, Simon Lejeune. Il ne s'est même pas fait mal. Il braille toujours pour rien.

L'image du gentil jeune homme bien sage que dégage Samuel, malgré la gravité de la situation, irrite de plus en plus Jasmine Lambert. Sa posture décontractée, son regard naïf, son timbre de voix mielleux... tout en lui la répugne au plus haut point.

— Vous n'avez vraiment aucune conscience de tout le mal que vous lui avez causé ?

— Je n'irais pas jusqu'à dire ça. Je dirais plutôt qu'on a voulu être gentils en lui donnant un p'tit coup de main.

— Samuel, par pitié, ne me prends pas pour une valise, veux-tu ?

— C'est pourtant la vérité.

— Explique-toi, ordonne la directrice, curieuse de tout savoir.

Samuel se lève de sa chaise, prend un caramel dans le plat de bonbons de madame la directrice, l'enfonce dans sa bouche et s'adosse contre le classeur comme si de rien n'était.

— C'est à cause de Roxanne, tout ça. Imagine-toi donc qu'elle a lancé

la casquette de Lejeune au fond de l'aquarium. Je ne sais pas trop ce qui lui a pris de faire ça, mais en tout cas, elle l'a fait. Moi et Fortin, on savait que Lejeune aime beaucoup sa casquette. C'est pour ça qu'on a voulu l'aider à aller la chercher.

— En le soulevant au-dessus de l'aquarium...

— ... pour lui permettre de prendre sa casquette au fond de l'eau.

— Sauf qu'il se débattait et vous l'avez laissé tomber, c'est bien ça ?

— Tu as tout compris ! s'exclame Samuel d'un ton victorieux.

Jasmine Lambert a peut-être tout compris, mais elle est loin de croire sa version des faits. La voix du garçon sonne faux. Ce n'est d'ailleurs pas la première fois qu'il mentirait. Elle commence à le connaître, ce Samuel Giroux qui, à première vue, a l'air d'un ange, mais qui se retrouve à son bureau plus souvent qu'à son tour. Jamais aucune de ses histoires n'a toutefois été aussi mystérieuse que celle-ci.

— Il y a encore quelque chose que je n'arrive pas à comprendre.

— Quoi ?

— Pour que vous échappiez Simon, il devait se débattre beaucoup, non ?

— Et comment ! Il s'agitait autant qu'une barbotte au fond d'une chaloupe.

— Pourquoi se débattait-il autant si vous vouliez seulement l'aider ?

Samuel s'empare d'un autre caramel, retourne s'asseoir sur sa chaise, pose sa jambe sur son genou, passe sa main dans ses cheveux en bataille et finit par répondre :

— Ça, c'est une bien bonne question. Faudrait peut-être le lui demander. Moi, je ne sais pas. Il devait le savoir qu'on voulait juste l'aider. C'était évident, il me semble.

— ...

— Je te le dis ! On ne voulait pas être méchants avec lui. On l'aime bien trop pour ça, notre p'tit Simon.

Roxanne raconte...

Après avoir laissé Samuel retourner en classe, Jasmine Lambert s'accorde quelques minutes de réflexion, le temps d'apaiser sa colère et de mettre de l'ordre dans ses idées. Sa discussion avec le garçon lui a laissé un goût amer. Il est clair que Simon n'est pas tombé dans l'aquarium par accident. Samuel Giroux est responsable, elle en est convaincue. Guillaume Fortin et Roxanne Gravel sont probablement aussi à blâmer, croit-elle. Résolue à découvrir les pièces manquantes du casse-tête, madame Jasmine est prête à entendre le prochain élève.

— Je vais te demander d'être honnête avec moi, Roxanne, veux-tu ? En revanche, je le serai autant avec toi.

Cette entrée en matière plutôt surprenante fait sourire la jeune fille.

— On m'a raconté une chose plutôt étrange à ton sujet, enchaîne la directrice.

Le regard de Roxanne s'assombrit aussitôt. Elle se doute bien que cette « chose étrange » a tout à voir avec l'incident mettant en cause Simon Lejeune.

— Qu'est-ce qu'on t'a dit, exactement ? demande-t-elle, inquiète.

— Que tu as lancé la casquette de Simon dans l'aquarium.

— Ce n'est pas vrai ! Ce n'est pas ce qui s'est passé. Qui t'a raconté ça ?

— Aucune importance.

« Je gage que c'est Samuel Giroux, pense Roxanne. Il va me le payer cher, celui-là. »

— Madame Jasmine, je sais que c'est Samuel qui t'a raconté ça. Je t'en supplie, il ne faut pas croire tout ce qu'il t'a dit. Je n'ai rien fait, moi. Je le jure !

Roxanne semble si bouleversée d'apprendre qu'on a voulu la tenir responsable du malheur de Simon que Jasmine Lambert commence à croire qu'elle n'a peut-être pas été aussi méchante, finalement.

— Dans ce cas, pourquoi Samuel aurait-il inventé une telle sottise ? demande la directrice.

— Tu veux la vérité ? Il m'a demandé de sortir avec lui, et j'ai dit non. Ce gars-là n'est pas vraiment mon genre. Je suis sûr qu'il voulait se venger.

Plus découragée que jamais, la directrice se frotte longuement les yeux du bout des doigts, comme s'il s'agissait d'une ultime tentative pour y voir plus clair. « Quelqu'un va-t-il finir par me dire ce qui est arrivé à Simon Lejeune ? », rage-t-elle intérieurement.

— Dis-moi donc, Roxanne, si tu n'es pas en cause, qui est à blâmer ? Explique-moi, qu'on en finisse.

— C'est Samuel et Guillaume qui n'arrêtaient pas d'embêter Simon. Ils lui ont volé sa casquette et ils se la lançaient entre eux pendant que lui courait d'un bord à l'autre pour essayer de la reprendre. À un moment donné, sa casquette a échoué dans l'aquarium. C'est là qu'ils l'ont levé dans les airs. Ils disaient qu'ils voulaient l'aider à aller la chercher, mais c'est évident qu'ils voulaient juste lui mettre les pieds dans l'eau. Ça les amusait pas mal, cette idée-là. De toute façon, Simon aurait été assez grand pour reprendre sa casquette tout seul, juste en étirant le bras. Il n'avait pas besoin de leur aide.

Roxanne relate les faits avec tellement de conviction que Jasmine

Lambert s'accroche à ses paroles comme s'il s'agissait d'une bouée de sauvetage. En même temps, cette histoire à dormir debout la répugne souverainement.

— Veux-tu bien me dire pourquoi ils lui ont fait ça ?

— Je ne sais pas trop. Ils sont toujours en train de « l'achaler ». C'est comme ça depuis le début de l'année. L'autre jour, dans la cour de récréation, ils lui ont enlevé ses espadrilles et ils les ont lancées sur le toit de l'école. Il a fallu que le concierge aille les chercher. Une autre fois, durant l'hiver, ils l'ont déshabillé presque tout nu et ils l'ont roulé dans la neige. Il était tout rouge tellement il était gelé. Et tu te souviens de la fois où il s'est retrouvé à l'hôpital à cause de ses allergies ? Eh bien, c'est à cause de Guillaume qui avait mis des arachides dans son sandwich. Il venait d'apprendre que Simon était allergique et il voulait lui ficher une bonne frousse. Sauf que cette fois-là, je pense qu'il a eu vraiment peur en voyant les ambulanciers entrer dans l'école pour porter secours à Simon. Il ne pensait pas que tout ça irait aussi loin.

Découragée d'entendre de telles méchancetés, la directrice sent la rage l'envahir de la tête aux pieds. Pourquoi n'a-t-elle jamais rien su de ce harcèlement incessant à l'endroit d'un de ses élèves ? Elle pose la question à Roxanne qui répond avec une certaine hésitation :

— Il y a une sorte de loi du silence.

Elle n'ose pas ajouter que les menaces constantes de Guillaume effraient à peu près tous les élèves de l'école. De toute façon, la directrice semble avoir déjà tout compris, elle qui a appris à lire entre les lignes avec le temps et les expériences du passé.

— Dans ce cas, est-ce que je peux savoir pourquoi tu me racontes tout ça aujourd'hui ? Qu'est-ce qui me vaut le privilège de tes aveux ?

« Ils ont voulu tout me mettre sur le dos. Ils ne s'en sortiront pas aussi facilement », se dit Roxanne en elle-même, toujours hantée par les fausses accusations de Samuel à son endroit.

— C'est parce que j'en ai assez de voir Simon souffrir autant, ajoute-t-elle à voix haute. Tu aurais dû le voir quand ils lui ont volé sa casquette et qu'il courait comme un bon pour essayer de la reprendre. Il n'arrêtait pas de crier : « Rendez-la-moi ! Vous allez la briser ! » J'avais de la peine pour lui.

La colère de la directrice laisse place au chagrin à mesure qu'elle comprend ce que Simon a dû endurer. Jamais elle n'avait imaginé qu'un de ses élèves puisse vivre autant de misère à l'école Sainte-Madeleine. Elle tente de se convaincre que tout cela est impossible, que Roxanne s'est payé sa tête en la bourrant de mensonges... comme l'a fait Samuel. Sauf que la lueur qui scintille au fond des yeux de la jeune fille la force à croire qu'il s'agit là de la pure vérité, aussi cruelle soit-elle.

Il ne lui reste plus qu'une chose à faire : confronter Guillaume Fortin, le redoutable Guillaume Fortin, jusqu'à obtenir ses aveux... pour ensuite rendre justice à Simon Lejeune.

Après avoir dit tout ce qu'elle savait, Roxanne quitte le bureau de la directrice le cœur léger et l'âme en paix. Grâce à elle, Simon connaîtra sans doute des jours meilleurs. Et cette seule certitude vaut amplement le risque de défier toute menace de vengeance venant de quiconque... même du plus dangereux des élèves de l'école. Après tout, madame Jasmine ne lui a-t-elle pas promis que personne ne saura jamais qui a brisé la loi du silence ?

Guillaume raconte...

— Comme ça, on aime jouer les durs ?

À peine Guillaume est-il entré dans le bureau que déjà madame la directrice cherche à le confronter. Elle n'a encore aucune preuve formelle de sa culpabilité, certes, mais le fait d'agir avec lui comme s'il était bel et bien impliqué dans l'agression de Simon Lejeune viendra certainement le déstabiliser et, qui sait, l'amener à faire des aveux. C'est du moins ce qu'elle espère. De toute façon, elle demeure convaincue que c'est lui le meneur dans cette histoire. Elle peut le lire sur ses traits et dans son regard glacial.

— Qu'est-ce que tu veux dire ? demande le garçon en empruntant un air naïf.

— Tu sais très bien ce que je veux dire, Guillaume Fortin. Je te parle de ce que vous avez fait subir à Simon Lejeune, Samuel et toi.

— On ne lui a rien fait, à Lejeune.

— Ne joue pas au plus fin avec moi. Qu'est-ce qui vous a pris de lancer sa casquette dans l'aquarium ? Et de lui flanquer les pieds dans l'eau ?

— Qui t'a dit ça ? demande le garçon en bombant le torse.

— Peu importe. Je veux savoir pourquoi vous lui avez fait ça.

« Attends que je te « pogne », Simon Lejeune, se dit Guillaume, convaincu que c'est lui qui a tout raconté à la directrice. Tu vas regretter de t'être ouvert la trappe. Quand j'en aurai fini avec toi... »

— Réponds-moi, Guillaume, reprend la directrice sur un ton sec. Pourquoi lui avez-vous fait ça ?

— Parce que.

— Parce que quoi ?

— Parce que... c'est tout ce qu'il mérite, ce p'tit con-là.

La directrice fige sur place en entendant ces mots cruels. Comment un élève de son école peut-il se permettre d'en traiter un autre de cette façon ?

— Qu'est-ce que tu veux dire ? demande-t-elle, à bout de nerfs et sur le point d'exploser.

— Je veux dire que Lejeune, c'est juste un nul. Un vrai snob ! Quand on lui parle, il ne répond jamais. Tout à l'heure, on voulait juste voir sa calotte. On lui a demandé de nous la montrer, mais c'est comme s'il ne nous entendait pas. Il ne bougeait pas. Il ne disait rien. Il faisait juste regarder par terre, comme toujours. Il avait juste à le dire s'il ne voulait pas qu'on la prenne, sa maudite calotte.

Guillaume parle de Simon avec un tel mépris dans les yeux que Jasmine Lambert en a des frissons dans le dos.

— Tu ne l'aimes pas Simon, hein, Guillaume ?

— Il n'y a pas juste moi qui ne l'aime pas. Tout le monde le déteste.

— Pourquoi ?

— On dirait qu'il fait exprès pour nous emmerder. Il est toujours dans nos pattes. Si on lui dit de se tasser, il se transforme en statue. Puis quand on a le malheur de le pousser un peu pour qu'il s'enlève de notre chemin, il s'en va brailler au prof. Un vrai bébé à sa maman. En plus, il est tellement laid avec ses cheveux gominés et ses affreuses chemises blanches. Il ne pourrait pas s'habiller comme tout le monde, au moins ? Ah ! Qu'il m'énerve !

Jamais, dans sa longue carrière de directrice, Jasmine Lambert n'a ressenti autant de haine sortir de la bouche d'un de ses élèves. Jamais les mots d'un enfant de douze ans ne l'ont autant bouleversée.

— Te rends-tu compte de tout le mal que vous lui avez fait aujourd'hui, Samuel et toi ? demande-t-elle, les larmes aux yeux.

— Voyons donc, il n'a même pas une égratignure, répond-il sûr de lui.

— Ah non ?

— Non, je te le dis ! On voulait juste rigoler un peu. S'il ne trouvait pas ça drôle, il avait juste à le dire, puis on l'aurait laissé tranquille, ajoute-t-il, le sourire en coin.

— Il est quand même curieux que vous ayez eu envie de « rigoler » avec un gars qui vous « énerve » autant, non ?

Pris à son propre jeu, Guillaume se confond en explications sur la cause de ses agissements, mais la directrice ne l'écoute plus. Elle en a assez entendu. Les aveux méprisants du garçon l'obligent maintenant à sévir.

La vengeance

Le timbre annonçant la fin des classes vient tout juste de retentir. Contrairement à la plupart des élèves qui accourent à l'extérieur dans un élan de libération, Simon Lejeune prend tout son temps pour ranger ses livres dans son sac à dos. Il quitte les lieux d'un pas nonchalant. À sa sortie de l'école, une voix grave le fait sursauter :

— Hé ! Hé ! V'là mon p'tit Simon qui s'amène.

La voix est celle de Guillaume Fortin, adossé contre un arbre près du trottoir où plusieurs élèves attendent l'autobus. Soudainement nerveux, Simon détourne la tête et presse le pas afin d'éviter d'autres ennuis. Il sent peser sur lui le regard amusé de plusieurs élèves témoins de la scène. Guillaume n'entend pas le laisser filer aussi facilement.

— Une minute, Lejeune ! en se précipitant à ses trousses. J'ai affaire à toi.

Mais Simon ne se retourne pas. Il fait comme s'il ne l'entendait pas et poursuit sa course, de plus en plus paniqué. Guillaume le rattrape sans peine. Il le saisit par le cou et lui souffle à l'oreille :

— Tu t'es foutu dans le pétrin, Lejeune. Est-ce que tu le sais ?

— Lâche-moi, je n'ai rien fait, implore Simon d'une voix tremblante.

— Je t'avais pourtant averti, mais tu ne m'as pas écouté. À cause de toi, Giroux et moi on est suspendus de l'école pour une semaine. Tu dois être fier de toi, hein ?

— Ce n'est pas ma faute.

— Sais-tu ce que je fais aux p'tits cons dans ton genre qui s'ouvrent la gueule un peu trop grande dans le bureau de la directrice ?

— Je n'ai rien dit à madame Jasmine. Je te jure que je ne lui ai rien dit, clame Simon, mort de trouille.

Guillaume refuse toutefois de le croire. Bien décidé à se venger, il le pousse violemment par terre.

Voyant la situation s'envenimer et ne voulant surtout rien manquer de ce spectacle imprévu, les nombreux jeunes témoins de l'événement s'attroupent rapidement autour de Simon et Guillaume.

— Allez ! Debout, espèce de trouillard, ordonne Guillaume, encouragé par les cris des autres élèves. Je n'en ai pas encore fini avec toi.

Craignant le pire et voulant limiter les dégâts, Simon préfère rester étendu par terre en priant pour que son agresseur le laisse tranquille. Mais Guillaume, ne cherchant qu'à le provoquer, s'approche de lui et s'empare une fois de plus de sa casquette.

— Rends-moi ma casquette, ordonne Simon en bondissant sur ses pieds.

— Essaie donc de venir la chercher, pour voir.

Tenant plus que tout au précieux cadeau de son grand-père, Simon fonce tête baissée sur son ennemi juré, mais Guillaume l'accueille avec une série de coups de poing au visage, des coups si violents que Simon retourne au sol en hurlant de douleur.

— Non, mais il n'a vraiment rien dans le ventre, celui-là, lance Guillaume pour alimenter l'enthousiasme chez les spectateurs. Allez, espèce de femmelette ! Fais un homme de toi puis ramène ta face ici, que je te règle ton compte une bonne fois pour toutes.

Passablement secoué, Simon n'a plus vraiment conscience de ce qui se passe autour de lui. Les cris des autres élèves, qui l'encouragent à se relever et à se défendre, semblent provenir de si loin qu'il n'y prête aucune attention.

— QU'EST-CE QUI SE PASSE ICI ? s'écrie soudain une voix familière.

Guillaume se retourne et aperçoit la directrice de l'école se diriger vers eux à grandes enjambées. Sans perdre une seconde, il assène un violent coup de pied dans le ventre de sa victime, toujours étendue par terre, et prend la fuite en déclarant :

— La prochaine fois, tu y penseras deux fois avant de t'ouvrir la gueule devant la directrice, compris Lejeune ?

Un cri du cœur

Dès son retour à la maison, Simon grimpe à l'étage et s'enferme dans sa chambre. Assis au bout de son lit, le dos courbé, les yeux rivés sur le plancher, sa casquette détrempée et tachée de sang entre les mains, il pleure en silence. Bien qu'il ait l'habitude des jours sombres, jamais sa vie n'a été aussi pénible qu'en ce moment. « Qu'est-ce que j'ai fait pour mériter ça ? se demande-t-il. Quand est-ce que le monde va me laisser tranquille ? Je veux juste avoir la paix. C'est tout ce que je veux. »

Tout doucement, il redresse la tête jusqu'à ce que son regard croise son propre reflet dans le miroir accroché au mur devant lui. Il s'attarde longuement à cette triste image de lui-même. « C'est eux qui ont raison, finalement. Je suis juste un bon à rien qui n'a pas d'amis, puis qui n'est même pas capable de se défendre tout seul », songe-t-il, tout en scrutant avec dédain les marques de violence sur son visage.

La voix de sa mère le délivre soudain de ses sombres pensées :

— Simon, est-ce que je peux entrer, mon chéri ? demande-t-elle en frappant doucement à sa porte.

Le fait que son fils soit monté à sa chambre sans même la saluer à son retour de l'école l'inquiète un peu, et elle souhaite s'assurer qu'il se porte bien.

— Simon, m'entends-tu ? reprend-elle après un moment.

— J'ai besoin de rester seul, répond-il finalement.

La voix morose de Simon laisse deviner à sa mère que quelque chose ne va vraiment pas. De plus en plus inquiète, elle décide d'entrer malgré la volonté de son fils, qui se retourne aussitôt pour dissimuler son visage meurtri.

— Qu'est-ce qui se passe, mon chéri ? demande sa mère Johanne d'une voix pleine de compassion.

— Rien. J'ai juste eu une dure journée.

Mais la mère connaît trop bien son fils pour croire que tout va bien. D'autant plus qu'il n'a pas l'habitude de fuir son regard. Elle s'approche de lui et finit par découvrir ses blessures au nez, au menton et à l'œil gauche, ainsi que les taches de sang sur ses vêtements.

— Mon Dieu, Simon, qu'est-ce qui t'est arrivé ?

Simon voudrait bien lui dire qu'il ne lui est rien arrivé de grave, que ce sont de simples égratignures de rien du tout, mais il n'arrive plus à ouvrir la bouche pour prononcer un seul mot. Un flot d'émotions lui remonte dans la gorge, comme si soudainement toute la colère, la haine, la tristesse et le désespoir réprimés durant les dernières heures allaient resurgir de ses entrailles en même temps.

Voyant la grande détresse de son fils dans ses yeux humides, Johanne s'assoit à ses côtés et le serre de toutes ses forces contre elle. Il n'en faut pas plus à Simon pour éclater en sanglots.

— Je ne veux plus aller à mon école, maman, murmure-t-il après avoir laissé couler toutes les larmes de son corps.

Bien qu'elle ignore encore tout de ce qui vient d'arriver à son fils, la maman sait très bien qu'il n'est pas heureux depuis leur déménagement, l'été précédent. Elle sait parfaitement que Simon n'a jamais réussi à s'adapter et à se faire des amis dans sa nouvelle école. Elle ne l'a toutefois jamais vu aussi malheureux qu'en cet instant, et son désespoir la touche profondément.

— Je te promets qu'on va trouver une solution, ton père et moi, mais il faut d'abord nettoyer tes plaies, mon chéri.

Sans tarder, elle court chercher la trousse de premiers soins dans la salle de bains et revient aussitôt s'occuper de son fils. Avec mille précautions, elle désinfecte les coupures, soigne les enflures et les ecchymoses. Pendant ce temps, Simon entreprend de lui raconter sa journée en détail, à commencer par l'incident de l'aquarium dans la classe au retour du dîner. Il l'informe ensuite de ce qu'il a dû raconter à la directrice, sous les menaces de

Guillaume Fortin, puis lui relate sa bagarre à la sortie de l'école. Le récit de Simon bouleverse grandement sa mère, dont les lèvres tremblantes trahissent un immense chagrin.

— Regarde ce qu'il a fait à ma casquette, maman, dit le garçon en tendant son couvre-chef à sa mère. Penses-tu que la tache de sang va partir ?

Sachant à quel point Simon tient au cadeau de son grand-père, elle ne peut que répondre, sans toutefois en être convaincue :

— Je suis sûre qu'une fois lavée, elle sera comme neuve !

Un léger sourire se dessine sur le visage de Simon.

Soulagée de voir son fils retrouver une parcelle de bonne humeur, Johanne referme la trousse de premiers soins, décroche de la penderie un chandail propre pour Simon et se résigne à le laisser enfin seul pour qu'il puisse mettre de l'ordre dans ses idées. Mais avant de refermer la porte, elle se retourne et dit :

— Ne t'en fais pas, mon chéri. Tout ira mieux, maintenant. Tu peux me croire, ton père et moi on ne te laissera pas dans cette situation.

Aussitôt seul, Simon s'approche du miroir pour observer son visage plus attentivement. Malgré les bons soins de sa mère, il se répugne toujours autant. Incapable de se laisser torturer plus longtemps par cette image de lui-même, il s'empare du miroir et le dépose au fond du placard, puis se réfugie sous les couvertures.

Au bout d'une demi-heure de silence et de réflexion, il se relève et s'installe à sa table de travail. Prenant stylo et papier, il décide de se confier :

Cher grand-papa,

J'espère que tu vas bien, là où tu es. Moi, ça ne va pas du tout. Je viens de passer la pire journée de ma vie. Je me suis battu à l'école. Je sais que ce n'est pas bien, mais je n'ai pas eu le choix. Un gars de ma classe m'a sauté dessus et il ne me lâchait plus. Il a même brisé la belle casquette que tu m'as donnée avant de mourir. Je n'avais pourtant rien fait, grand-papa. Je ne fais jamais rien, mais il ne me laisse quand même jamais tranquille. Maman dit que tout va s'arranger. Elle a l'air tellement convaincu. Moi, je sais que rien n'ira mieux. J'ai déjà tout essayé. Je me suis efforcé d'être gentil avec lui, même si je le déteste. J'ai tout fait pour ne pas l'embêter, mais rien n'a marché. On dirait que ça l'amuse de venir « m'achaler ». Si au moins je pouvais lui foutre une bonne raclée, peut-être qu'il finirait par me ficher la paix.

J'en ai vraiment assez. Si tu savais comme je suis « tanné » d'endurer ça. J'ai juste le goût que tout redevienne comme avant. Comme avant qu'on déménage. Comme avant que tu meures. Je m'ennuie tellement de toi, grand-papa, quand je pense à nos promenades en vélo, à nos après-midi à la plage et à nos fins de semaine de pêche. T'en souviens-tu du fun qu'on avait ensemble à construire des châteaux de sable et à se raconter des histoires autour du feu de camp ? Moi, je n'oublierai jamais ces moments-là. Quand j'y pense, comme en ce moment, je m'ennuie encore plus de toi. Tellement que mon cœur voudrait exploser.

Je voudrais tant que tu ne sois pas mort, grand-papa. Des fois, je me dis que je serais bien mieux au ciel avec toi. On doit être si bien, là-haut. À ce qu'on raconte, c'est un endroit magique où la chicane n'existe pas. Je suis heureux pour toi.

Maman dit que tu peux veiller sur nous, d'où tu es. Est-ce que c'est vrai, grand-papa ? Si oui, est-ce que tu peux aussi faire des choses pour nous aider ? Parce que j'aimerais vraiment que tu m'aides à trouver une solution pour que Guillaume Fortin et Samuel Giroux me laissent tranquille à l'école. C'est tout ce que je te demande. Si jamais tu ne peux pas le faire, je comprendrai et je m'arrangerai autrement. Mais j'espère vraiment que tu pourras m'aider.

Ça me fait tout drôle de t'écrire, grand-papa. Sauf que c'est le seul moyen que j'ai trouvé de te parler. Je sais que tu ne pourras jamais lire ma lettre, mais ça me fait du bien quand même. Ça me donne l'impression que tu es encore vivant et qu'on se reverra bientôt.

Alors à bientôt, grand-papa !

Simon

P.-S. — Ne t'en fais pas pour ma casquette. Maman m'a promis que la tache de sang allait partir au lavage.

Les derniers préparatifs

Toute la semaine suivante se déroule sans encombre pour Simon. Pour la première fois depuis le début de l'année scolaire, il se sent libéré de toute menace, avec l'absence de Samuel et Guillaume de l'école. Cette inhabituelle sensation de liberté a si bon goût qu'il se surprend même à affronter ses journées avec bonne humeur.

Le cinquième jour, toutefois, l'humeur de Simon s'assombrit lorsque son enseignant dévoile en classe les derniers détails concernant la fin de semaine de camping prévue, afin de souligner la fin de leur cours primaire. L'idée de se retrouver à la base de plein air du lac à la Perchaude en compagnie de Samuel et Guillaume le terrifie. Tout au long de la matinée, pendant que le reste de la classe s'affaire à mettre au point l'horaire de la fin de semaine, la liste du matériel à emporter et la logistique du transport, Simon cherche à garder son calme en se répétant sans cesse : « Il n'est pas question que j'aille là-bas. Allez-y, vous autres. Moi, j'aime mieux rester chez moi. »

Lorsque l'heure du dîner arrive enfin, Simon s'avance vers son enseignant et lui mentionne d'une voix incertaine :

— Je ne pense pas pouvoir aller camper avec vous.

— Ah non ? Pourquoi ? demande monsieur Vincent.

— Parce que j'ai un empêchement.

— Voyons donc, Simon ! Tu ne peux pas manquer ça. C'est la remise des diplômes du primaire. Il faut que tu y sois. Ça va être une superbe fin de semaine, tu verras. En plus, tout le monde compte sur toi. Rappelle-toi, quand on a distribué les tâches, on a fait un pacte, ensemble. Chacun doit assumer ses responsabilités si on veut que tout aille bien. On forme une équipe, ne l'oublie pas.

Les mots de Vincent Cadieux sont presque aussi douloureux à entendre que les menaces de Guillaume Fortin. Les lèvres soudées par l'émotion, Simon demeure incapable de répliquer quoi que ce soit et se contente d'acquiescer en silence.

Où est Simon ?

Le lundi suivant, Simon quitte la maison familiale à la même heure que d'habitude. Ce matin-là, par contre, ses pas ne le mènent pas en direction de l'autobus scolaire. Après avoir mûrement réfléchi, sa décision est prise : pas question de retourner à l'école. Avec le retour de Samuel et Guillaume, il préfère éviter les ennuis. Fuir n'importe où, du moment qu'on ne vienne pas l'embêter. Il en a plus qu'assez de jouer la victime. Le temps est venu de mettre fin à son supplice. Les yeux rivés sur le trottoir et les épaules courbées sous le poids d'un sac à dos débordant de provisions, il marche d'un pas incertain vers l'inconnu, un inconnu rempli d'espoir et d'angoisse.

Simon est déjà loin de la maison lorsque la secrétaire de l'école téléphone chez lui en fin de matinée afin d'obtenir une motivation pour son absence. Sa mère, en congé pour la journée, prend l'appel :

— Comment ? Mais voyons, c'est impossible, il est parti pour l'école à la même heure que d'habitude... Oui, je comprends, mais vous devez faire erreur... Vous êtes certaine de ce que vous dites ?... Dans ce cas, où peut-il bien être ? Mon Dieu, où est mon fils ?

Prise de panique, la mère implore la secrétaire de la tenir informée du moindre élément nouveau, puis s'empresse de contacter son conjoint au travail pour l'alerter de la disparition de leur fils.

— J'arrive tout de suite !

Pendant ce temps, la mère de Simon téléphone chez tous les amis de son fils, même en sachant que ceux-ci sont à l'école. Soit personne ne répond, soit personne ne l'a vu.

Lorsque Benoît Lejeune rentre chez lui, son épouse tremblante d'inquiétude lui saute au cou.

— Ne t'en fais pas, lui souffle-t-il à l'oreille pour tenter de la rassurer. Je te promets qu'on va le retrouver.

Après avoir rassuré sa femme, il s'empare du téléphone pour alerter la police. Moins de cinq minutes plus tard, deux agents se présentent chez eux pour prendre leur déposition.

— Pensez-vous qu'il aurait pu faire une fugue ? demande l'un des policiers.

— Ça ne lui ressemble pas, répond le père.

— C'est possible, ajoute sa femme. Il est plutôt déprimé, ces temps-ci. Je sais que des garçons lui causent pas mal d'ennuis à l'école.

Les regards interrogateurs des policiers incitent la mère de Simon à les informer de la récente agression subie par son fils. Elle leur raconte tout : l'incident avec l'aquarium, la bataille, le visage amoché de Simon à son retour de l'école et les menaces constantes de ses deux agresseurs.

— Nous allons tout faire pour vous ramener votre fils, conclut l'autre policier, sensible à la détresse du couple.

Dès le départ des deux agents, les parents de Simon montent à bord de leur voiture et parcourent la ville dans les moindres recoins. Mais les heures passent et leur fils demeure introuvable. Aucun voisin ne l'a aperçu. Les policiers n'ont aucune nouvelle de lui non plus, pas plus que le personnel de l'école.

Au coucher du soleil, les parents rentrent chez eux épuisés et complètement anéantis. Malgré tout, ils refusent de s'accorder le moindre moment de répit.

— Appelle tous les gens qu'on connaît et dis-leur qu'on organise une recherche demain, ordonne le père. Dis-leur aussi qu'on a besoin de plus de monde possible et qu'on compte sur eux.

— Et toi, où vas-tu ? demande sa femme en le voyant s'éloigner.

— Je retourne faire un tour dans le voisinage. On ne sait jamais...

Benoît n'ose pas partager l'idée qui vient de le frapper de plein fouet, car il croit savoir où pourrait se trouver leur fils. Il n'a pas envie de créer de faux espoirs chez son épouse, craignant qu'elle ne sombre encore plus profondément dans la déprime si jamais Simon ne s'y trouve pas. Il préfère d'abord aller vérifier par lui-même.

Il démarre sa voiture, parcourt quelques kilomètres et s'immobilise tout juste devant... le cimetière. Aussitôt arrivé, il descend et promène son regard autour de lui. Les lieux sont sinistres en cette nuit de pleine lune, mais ce n'est rien pour effrayer un père à la recherche de son fils. Sans plus attendre, il franchit aisément la clôture de métal verrouillée, puis s'enfonce dans l'obscurité.

Au bout de quelques minutes de marche au milieu des stèles funéraires, il l'aperçoit finalement, tout juste devant lui, étendu sur la tombe de son grand-père. Porté par une vague d'émotions des plus vives, il se précipite vers lui et le serre de toutes ses forces dans ses bras.

— Te voilà enfin, murmure-t-il à son oreille. Tu nous as fait une de ces peurs, tu sais.

Le papa est si soulagé de retrouver son fils sain et sauf qu'il n'arrive pas à contenir sa joie. Simon aussi respire de soulagement. Libérés de toute angoisse et de toute inquiétude, l'homme et son enfant restent longtemps enlacés l'un contre l'autre à savourer cet instant.

— Si tu savais comme je m'ennuie de grand-papa, avoue Simon au bout d'un moment, les yeux rivés sur la stèle. Il était si drôle. Il me faisait toujours rire, avec ses milliers de blagues. On avait tellement de plaisir ensemble. Depuis qu'il est parti, il n'y a plus rien de drôle.

— Ton grand-père était quelqu'un de formidable. Moi aussi, je l'aimais beaucoup. Mais il est parti. Je n'oublierai jamais tous les beaux souvenirs qu'il m'a laissés, sauf que je ne dois pas non plus oublier toutes les autres personnes qui font encore partie de ma vie et que j'aime autant que ton grand-père.

Ces mots tellement sincères atteignent Simon. Pour la première fois, il se rend compte qu'à force de vivre avec ses parents, il a fini par oublier toute la place qu'ils occupent dans son cœur. Le père demande alors un moment pour utiliser son portable et informer la maman que Simon est retrouvé sain et sauf.

— Excuse-moi, papa, dit-il. Excuse-moi pour tout.

Avant de lui pardonner sa fugue et de lui faire promettre de ne jamais recommencer, le père tient à aider son fils à retrouver le chemin du bonheur.

— Est-ce que je peux te poser une question ? lui demande-t-il.

— Quoi ?

— Qu'est-ce qui te rendrait heureux ?

— Je voudrais juste que Samuel et Guillaume me laissent tranquille, répond Simon sans hésiter.

— Est-ce qu'on peut faire quelque chose pour ça ?

— Je ne sais pas.

— Il doit bien y avoir une solution.

— Je suis sûr que non, papa. Je ne suis pas assez bon pour eux, pas assez cool, pas assez grand, pas assez fort. Je suis juste un bon à rien. Je suis juste un fils à maman.

Les mots de Simon lui transpercent le cœur. Comment son fils peut-il avoir conçu une opinion aussi négative de lui-même ?

— Je ne suis pas d'accord avec toi, Simon. Tu es un bon gars, intelligent, toujours prêt à aider, et tu as du cœur. Tu réussis à peu près tout ce que tu entreprends. Et quand ça ne marche pas du premier coup, tu ne baisses pas les bras. Tu persévères jusqu'à ce que tu réussisses.

Voyant son fils douter de ses propos, il ajoute :

— Dis-moi donc, mon gars, qui a gagné le tournoi régional d'échecs, le mois dernier ?

— Ce n'est pas pareil. C'est juste un jeu, les échecs.

— Un jeu qui demande un grand esprit d'analyse et beaucoup de logique. Et c'est toi qui as gagné, bon sang ! Si tu savais comme je suis fier de toi. Pas juste parce que tu as gagné. Je suis fier de toi pour tout ce que tu es. Et je peux te garantir une chose, tu n'es pas un bon à rien.

— Tu crois ?

— J'en suis convaincu. Ta mère aussi en est convaincue. Tout le monde qui te connaît en est convaincu. Il y a peut-être juste deux ou trois petits minables de ton école qui pensent le contraire, mais on s'en fiche de ceux-là ! De toute façon, pour ce que vaut leur opinion…

— On s'en fiche peut-être, mais ça ne les empêche pas de continuer à m'embêter, signale le garçon. Je ne veux plus aller à l'école, papa. Je ne veux pas non plus aller en camping avec ma classe, la fin de semaine prochaine. C'est le seul moyen que j'ai trouvé pour qu'ils me fichent la paix.

Conscient qu'il s'agit là de la source de tous les problèmes de son fils, le papa prend le temps de bien réfléchir à la situation avant de proposer :

— Écoute Simon, je voudrais bien te dire de ne plus aller à l'école, mais c'est impossible. Tu as encore plusieurs examens importants à passer. Dans quelques semaines, ton année sera terminée et plus jamais tu ne retourneras à cette école.

Devant les yeux de son fils qu'il voit s'emplir de chagrin, il s'empresse d'ajouter :

— Dès demain, je vais demander à tout le personnel de l'école de veiller sur toi d'ici aux vacances d'été, et plus particulièrement durant la fin de semaine de camping. Comme ça, tu n'auras plus rien à craindre. Et surtout ne t'inquiète pas, je te promets que personne d'autre n'en saura rien.

— Merci papa, dit Simon tout en souhaitant que ce plan fonctionne.

— En échange, je veux que tu fasses quelque chose toi aussi.

— Quoi ?

— Tu es un battant, mon gars. Tu as toujours su ce que tu voulais. Tu as l'étoffe d'un gagnant. N'aie pas peur de marcher la tête haute. Quand tu leur montreras qui tu es vraiment et quand ils verront ce que tu vaux, crois-moi, ils se tasseront de ton chemin.

— Tu crois ?

— J'en suis sûr !

Ces mots encourageants ont l'effet d'une bonne bouffée d'air frais. Pendant que le garçon réfléchit à la façon d'appliquer ce judicieux conseil dans son quotidien, son père ajoute :

— Allez ! Il est temps de rentrer à la maison, maintenant. Ta mère a tellement hâte de te revoir.

Destination camping

Le moment tant attendu est enfin arrivé. Fébriles, les élèves de sixième année de l'école Sainte-Madeleine filent en direction de la base de plein air du lac à la Perchaude. Aux frontières de la ville, cette joyeuse bande vivra une fin de semaine de camping mémorable.

Dans l'autobus scolaire, la bonne humeur est contagieuse en ce chaud samedi matin de juin. Pendant que certains entonnent des chansons à répondre, d'autres discutent avec enthousiasme des activités auxquelles ils participeront.

Pendant tout le trajet, Simon demeure silencieux. Assis derrière le chauffeur, tout juste à côté de son professeur, branché sur son lecteur MP3, il essaie de relaxer sur la voix d'Isabelle Boulay. L'évasion recherchée ne se produit pas. La tranquillité de sa chambre est derrière lui et la fin de semaine redoutée est droit devant. Il n'a plus le choix.

Samuel et Guillaume ne lui ont pourtant pas trop causé de problèmes au cours de la dernière semaine, mis à part quelques blagues de mauvais goût. Il faut dire que leur professeur ne les quitte plus d'une semelle depuis leur retour en classe. Malgré tout, Simon préfère se tenir loin d'eux.

Lorsque l'autobus s'immobilise devant le chalet d'accueil de la base de plein air, un jeune animateur accueille le groupe composé d'une vingtaine d'élèves, de leur professeur et de quelques parents bénévoles.

— Avez-vous envie de vous amuser ? leur demande-t-il avec entrain.

— Ouais, répondent quelques voix mal orchestrées.

— Je n'ai pas bien entendu. Avez-vous envie d'avoir du *fun* ? reprend-il d'une voix encore plus enthousiaste.

— OUIIII ! s'écrie cette fois le groupe tout entier.

— Ça tombe bien parce qu'on va en avoir pas mal en fin de semaine, je vous le garantis ! On n'aura pas le temps de s'ennuyer. J'espère que vous êtes en forme parce que dès ce matin, on part à l'aventure en catamaran, lance-t-il en désignant les deux embarcations au bord du lac. On sera de retour pour le dîner. Ensuite, on va escalader la montagne que vous voyez là-bas. Et ce soir, je vous promets le plus joli feu de camp que vous n'aurez jamais vu. Pour ce qui est de demain, il y aura un concours de tir à l'arc suivi d'un après-midi de baignade. On annonce encore plus chaud qu'aujourd'hui ; ça va être super ! Mais avant tout, je vous laisse vous installer et monter vos tentes pour la nuit. Quand vous aurez fini, venez me rejoindre au chalet principal. Dépêchez-vous, je vous attends.

Sans tarder, les élèves courent chercher leurs bagages dans l'autobus et s'empressent d'installer leurs tentes en bordure du boisé. Bien entendu, Simon prend soin d'ériger la sienne le plus loin possible de celle de Samuel et de Guillaume, et le plus près possible de celle de l'enseignant.

Le reste de la matinée se déroule plutôt bien pour Simon. Il trouve même du plaisir à pagayer sur les eaux quelque peu agitées, pendant que ses deux ennemis font la pluie et le beau temps dans l'autre catamaran.

Cependant, les ennuis ne tardent pas à affecter l'humeur de Simon. Tout de suite après le repas, alors qu'il se repose sur la plage en attendant que le groupe soit prêt pour escalader la montagne, une voix familière le fait sursauter :

— Hé ! Hé ! V'là mon p'tit Simon qui se la coule douce sur la plage !

Simon se retourne et aperçoit Guillaume se diriger vers lui en compagnie de son fidèle complice Samuel. « Ah ! Non! Pas encore eux autres ! » Les deux garçons s'arrêtent devant lui et Guillaume passe vivement la main dans ses cheveux en guise de salutation. Comme seule protestation, Simon secoue la tête, les yeux toujours rivés au sol.

— Hé ! Lejeune ! J'espère que tu n'auras pas trop peur de dormir à la belle étoile. Parce qu'il y a pas mal d'ours dans les parages, à ce qu'on raconte. Pas vrai, Giroux ?

— Et comment !

Convaincu qu'ils ne cherchent qu'à l'effrayer, Simon se relève et déclare :

— Je n'ai pas peur des ours.

Il s'éloigne ensuite tout en espérant qu'ils le laissent tranquille.

— Pas si vite, Lejeune, intervient tout à coup Guillaume.

Ce dernier s'approche de lui et s'empare du lecteur MP3 que Simon cache dans le creux de sa main.

— Montre-moi ça, dit-il en lui arrachant son lecteur de musique des mains.

— Rends-le-moi ! ordonne Simon.

— Ouais ! Il est pas mal, ton MP3, admet Guillaume.

— Rends-le-moi, que je t'ai dit ! s'exclame à nouveau Simon en le lui arrachant des mains, pour ensuite prendre la fuite.

Poursuivi par Guillaume et Samuel, Simon traverse au pas de course la plage sur toute sa longueur, puis s'enfonce dans la forêt en empruntant un étroit sentier. Poussé par l'adrénaline, il se déplace à vive allure entre les arbres et les arbustes, surmontant sans difficulté les obstacles. Troncs renversés, amas de branches cassées et escarpements rocheux le ralentissent à peine. Pendant plusieurs minutes, il parvient à tenir ses deux ennemis à bonne distance. Alors qu'il croit les avoir semés, la fatigue s'empare de lui et il éprouve de plus en plus de difficulté à maintenir le rythme, ce qui permet à ses deux ennemis acharnés de se rapprocher. Guillaume parvient finalement à le rattraper et à le pousser violemment contre un peuplier.

Sous la force de l'impact, Simon s'écroule au pied de l'arbre.

Dans les secondes qui suivent, un bourdonnement familier l'incite à se relever subitement et à fuir les lieux au plus vite. Mais c'est trop tard : les guêpes sont plus vives que lui et l'attaquent partout à grands coups de dards, avant de finalement le laisser tranquille.

Seul avec une douleur à l'épaule et de nombreuses piqûres aux bras et à la tête, Simon cherche à reprendre son souffle et à retrouver son calme. Il aperçoit soudain Samuel et Guillaume courir vers lui en hurlant et en se débattant au beau milieu d'une nuée de guêpes. De toute évidence, celles-ci sont furieuses qu'on soit venu les déranger.

— MEEEEEEERDE ! s'écrie Samuel.

— Foutez-moi le camp d'ici ! ajoute son complice, fou de rage.

Plusieurs piqûres plus tard, après s'être bien vengées, les guêpes finissent par lâcher prise et se disperser dans la forêt.

— Ah ! Que ça fait mal ! Ça fait mal ! Ça fait mal ! se lamente Samuel en se grattant la tête sans plus pouvoir s'arrêter.

À côté de lui, assis sur une souche et se frottant vigoureusement le visage, Guillaume ne dit rien, mais il souffre autant que son ami.

— Oh ! Guillaume ! Qu'est-ce que t'as au visage ? lance tout à coup Samuel, paniqué.

— Quoi ? Qu'est-ce qu'il a mon visage ?

— Il est tout enflé. C'est fou...

À quelques mètres de là, Simon regarde la scène avec effroi. L'heure est grave, et il le sait très bien. Il doit agir vite. C'est une question de vie ou de mort ! Sans plus réfléchir, il tire de sa poche son *EpiPen* et s'approche de Guillaume en disant :

— Tu fais une crise d'allergie. Ne bouge pas, je vais te donner un médicament.

Au même moment, il frappe l'embout du bâton d'épinéphrine sur la cuisse de Guillaume, assez fort pour que l'aiguille de l'auto-injecteur transperce son pantalon et sa peau, de sorte que le liquide médicamenté puisse se répandre dans son corps.

Impuissant devant ce qui lui arrive, Guillaume laisse Simon agir sans rien dire. Son visage est si enflé que Simon ne le reconnaît plus.

— Ça y est, se réjouit Simon en retirant l'aiguille de sa jambe, une quinzaine de secondes plus tard.

— Est-ce que ça va aller ? demande Samuel, inquiet.

— Ça devrait aller pour l'instant, mais on n'a pas de temps à perdre. Il faut retourner au chalet, ça presse.

— Bon. Viens-t'en, Guillaume, conclut Samuel, tout en aidant son ami à se relever. On va te sortir de là.

Malgré la douleur lancinante de leurs propres piqûres, Simon et Samuel supportent Guillaume et retournent au chalet d'accueil. Bientôt, arrive en courant à leur rencontre l'enseignant Vincent Cadieux qui avait vu partir les trois jeunes vers la forêt.

Entre bonnes mains

Étendu sur une civière dans la salle de premiers soins du chalet d'accueil, Guillaume se montre plutôt calme malgré la gravité de la situation. L'animateur chargé du groupe vient de lui administrer une deuxième dose d'épinéphrine, en attendant l'arrivée de l'ambulance. Le visage du garçon a quelque peu désenflé, mais son état demeure inquiétant.

— T'as eu de la chance, tu sais, lui dit l'animateur après avoir pris son pouls. Heureusement que tes amis étaient là. Ils t'ont probablement sauvé la vie.

Guillaume tourne la tête vers Samuel et Simon, assis tout près de lui. Il voudrait parler, mais les mots restent coincés dans sa gorge. Sa crise d'allergie l'a terrifié jusqu'à en perdre la voix. Malgré tout, Simon peut lire dans ses yeux à quel point il est reconnaissant d'avoir reçu de l'aide. Au moment où il en avait le plus besoin et sans qu'on exige rien en retour. Pourtant, Simon n'aurait pu agir autrement. Un élève de sa classe était en détresse et il se devait de l'aider. Peu importe qui était cet élève. Peu importe tout le mal qu'il a pu lui causer dans le passé.

Une sirène se fait soudainement entendre. L'instant d'après, deux ambulanciers se présentent au chevet du garçon et s'empressent de stabiliser son état. Ils l'installent ensuite sur leur civière roulante et quittent les lieux avec le jeune patient. Simon, Samuel et l'enseignant les accompagnent jusqu'à l'extérieur, où le reste du groupe attend avec impatience des nouvelles de Guillaume.

— Ne vous inquiétez pas, il va s'en sortir, déclare l'un des ambulanciers sur un ton rassurant.

Alors que la civière glisse à l'intérieur du véhicule d'urgence, Guillaume parvient finalement à murmurer :

— Simon ?

— Quoi, Guillaume ?

— ... merci... de m'avoir sauvé.

Guillaume s'exprime avec tant de reconnaissance que Simon sent son cœur se gonfler de bonheur. Un bonheur si intense qu'il rejaillit sur tout son être et le fait rayonner comme jamais auparavant.

Pendant que s'éloigne l'ambulance, Simon soulève sa casquette vers le ciel, regarde en haut et murmure dans un sourire :

— Je t'aime, grand-papa !

Achevé d'imprimer en février 2011
sur les presses de l'imprimerie Gauvin,
Gatineau, Québec